Poésies pour la vie

Éditrice : Angèle Delaunois
Édition électronique : Hélène Meunier
Adjointe à l'édition : Aline Noguès

Dépôt légal : 3e trimestre 2015
Dépôt légal : 4e trimestre 2016 (2e édition)

Catalogage avant publication de Bibliothèque et Archives nationales du Québec et Bibliothèque et Archives Canada

Tibo, Gilles, 1951-

Poésies pour la vie

(Tourne-pierre ; 43)
Poèmes.
Pour enfants de 5 ans et plus.

ISBN Papier : 978-2-924309-89-6
ISBN PDF : 978-2-924309-47-6

I. Gauthier, Manon, 1959- . II. Titre. III. Collection : Tourne-pierre ; 43.

PS8589.I26P63 2015 jC841'.54 C2015-941446-6
PS9589.I26P63 2015

Nous remercions le Conseil des arts du Canada de l'aide accordée à notre programme de publication et la SODEC pour son appui financier en vertu du Programme d'aide aux entreprises du livre et de l'édition spécialisée et du programme de crédit d'impôt pour l'édition de livres.

SODEC
Québec

Financé par le gouvernement du Canada
Funded by the Government of Canada
Canada

isatis
ÉDITIONS DE L'ISATIS
4829, avenue Victoria
Montréal – QC - H3W 2M9
www.editionsdelisatis.com
Imprimé au Canada

Pour Claire Dion, et toute la poésie
que nous habitons...

G.T.

Pour monsieur Kang Woo Hyon et son équipe.

Pour toute la magie et la poésie de Nami.

M.G.

J'aime la poésie,
douce folie
qui raconte la vie.

J'aime la poésie,
elle rime avec ami,
avec nuit, avec infini.

J'aime la poésie,
même si elle ne rime pas
avec **chocolat**.

La poésie habite dans les livres
mais aussi dans les étoiles,
sur la lune,
dans les arbres.

La poésie
ressemble à la vie,
celle des jours
comme celle des nuits.

La poésie c'est :
lancer un ballon sur le soleil,
attraper un poisson
sous l'arc-en-ciel,
faire un tour de vélo
dans les bras de l'été,
attraper une coccinelle
et la laisser danser,
boire tout l'océan
dans un petit verre d'eau,
et détacher le ciel pour qu'il s'envole très haut...

J'écris des poèmes
sur le dos du vent,
les textes que j'aime
par-dessus l'océan.
J'écris des poèmes
à tous ceux que j'aime.
Des milliers de « M… M… M… »
comme des moutons de laine
lancés dans la plaine.

J'écris le Soleil
pour réchauffer mon cœur.
J'écris la Lune
pour éclairer ma nuit.
Je marche parmi les mots
à grands pas de velours.
Qu'arrive-t-il aux étoiles
qui dessinent des rêves
aux mille coins de la vie ?

Un poème est tombé des cieux
en glissant d'un nuage.
Un autre est sorti de terre
comme une fleur d'arc-en-ciel.
Un troisième flottait sur la mer
juste au bout du grand quai.
Je cueille les trois poèmes
les blottis sur mon cœur.
Puis je reprends mon voyage
au pays sans fin
des rimes à venir.

La nuit,
tous les poèmes
de tous les livres
enfilent leur pyjama
et se réfugient
sous mes draps.
Impossible de rêver
avec tous les mots cachés
sous mes oreillers,
et toutes les chansons
que fredonnent
mes oursons.

Je suis poète
du lundi,
du mardi,
du mercredi,
du jeudi,
du vendredi,
et aussi du samedi.
Mais jamais du dimanche,
car chaque dimanche
j'enfile ma chemise blanche,
je retrousse mes manches,
et je me repose sous les branches
de l'arbre aux mille fragrances.

La poésie
est comme un pissenlit
qui fleurit
sous la pluie.
La poésie
est un oiseau moqueur
qui m'emporte à tire-d'aile
au pays du bonheur.

Devant le ciel de nuit
je pleure et je ris,
toujours surpris
par la beauté infinie
de cette poésie.
Ce soir,
dans le noir
j'écris sur une écritoire
une histoire
en lettres d'or.

Écrire un poème
c'est cueillir le silence
et le coucher doucement
dans les marges d'un cahier
de lumière.

Dans le silence de la nuit
j'écris de la poésie
en pensant à Jérémie,
l'amour de ma vie.
Puis, blotti dans mon lit,
je lis ma poésie
aux petites souris,
qui ne font plus de bruit.

J'écris un poème dans le creux de ma main,
je te le donnerai demain.

J'écris un poème sur les ailes d'un oiseau,
tu le recevras bientôt.

J'écris un poème sur le dos d'un chat,
il se rendra jusqu'à toi.

La poésie, c'est
le retour d'une hirondelle
dans l'arbre des saisons,
le vol d'un papillon
sur le bout de mon nez.

Mais
la plus belle des poésies
est celle-ci, belle amie :
simplement toi
près de moi.